Heidi

Il était une fois, une petite fille nommée Heidi. Elle vivait dans les Alpes, les plus hautes montagnes de Suisse.

Un jour, sa tante Dete décida de confier la garde de la fillette à son grand-père qui habitait encore plus loin dans les montagnes.

Le vieil homme était connu de tous pour être un ermite bourru. Lorsque Dete et Heidi arrivèrent, il grimaça. Il n'était pas très heureux d'apprendre la venue de la petite fille.

Heidi était une enfant joyeuse et pleine de vie qui aimait s'amuser au grand air. Elle ne remarqua même pas que son grand-père était grincheux et contrarié.

Rapidement, le vieil homme commença à apprécier la compagnie d'Heidi. Il avait réalisé que c'était une enfant honnête et très intelligente. Heidi et son grand-père s'apprivoisèrent mutuellement et le lien qui les unissait grandit. Heidi adorait vivre dans la nature, elle aimait l'air pur et la beauté des montagnes, et elle n'hésitait jamais à seconder son grand-père dans ses tâches quotidiennes.

Heidi se fit de nouveaux amis. Elle rencontra Peter, un jeune chevrier qui vivait près de chez son grand-père. Le petit garçon était très heureux d'avoir une nouvelle compagne de jeu !

Les deux nouveaux amis passaient tout leur temps ensemble.
Ils jouaient avec les chèvres, couraient dans les immenses pâturages,
et admiraient les magnifiques couchers de soleil.

Un beau jour, Dete revint chercher Heidi. Elle annonça à la petite fille et à son grand-père que celle-ci irait désormais vivre avec la famille Sesemann à Francfort. Les arrangements nécessaires avaient déjà été pris : Heidi pourrait aller à l'école en ville et elle tiendrait compagnie à Clara, la fille des Sesemann.

Le grand-père d'Heidi aimait beaucoup sa petite-fille et ne voulait plus qu'elle s'en aille. Heidi refusait aussi de quitter le vieil homme et sa vie dans les montagnes. Malgré cela, ils durent se dire au revoir et en furent tous les deux très tristes.

Quand Heidi arriva à Francfort, elle fut déconcertée par l'agitation qui régnait en ville, et la grande et sombre maison des Sesemann la laissa sans voix. Sa nature optimiste reprit pourtant rapidement le dessus, et Heidi se montra enthousiaste lorsqu'elle rencontra Clara et sa gouvernante.

Clara était prisonnière d'un fauteuil roulant, ses jambes refusant de la porter. Clara se sentait très seule, et avait du mal à se faire des amis car elle ne pouvait pas courir et jouer dehors avec les autres enfants. La fillette était donc ravie d'avoir une invitée sous son toit !

Au fil des jours, les deux petites filles devinrent de très bonnes amies. Heidi divertissait Clara, et l'amusait avec sa fascination pour tous les objets de la ville. Clara, elle, aidait Heidi avec ses leçons.

Parfois, Heidi avait trop d'énergie pour la riche et calme demeure des Sesemann. La gouvernante de Clara, Mlle Rottenmeier, trouvait ses jeux imprudents. Elle devint alors très sévère avec Heidi.

La fillette n'était pas habituée à la vie en ville, elle qui avait l'habitude de passer son temps libre dans les montagnes. Elle aimait courir, sauter, jouer dans les immenses étendues herbeuses, et dans la maison des Sesemann, elle avait l'impression d'étouffer. Heidi se sentait très triste, sa vie d'avant et son grand-père lui manquaient terriblement.

Le temps passait et la gouvernante ne cessait d'imposer des règles très strictes dans la maison. Heidi le vivait de plus en plus mal…

Une nuit, quelque chose d'inhabituel se produisit. Mlle Rottenmeier entendit un bruit dans le couloir et crut voir un fantôme !

La gouvernante réalisa alors que la forme qu'elle distinguait dans la pénombre était simplement Heidi.

Heidi, très malheureuse, avait beaucoup de mal à dormir
et devenait somnambule ! Mlle Rottenmeier la guida délicatement
vers son lit, et contacta rapidement sa tante.

14

Dete décida que le mieux pour Heidi était qu'elle soit examinée par un médecin.

Lors de l'auscultation, le docteur remarqua tout de suite que la fillette souffrait d'une grande anxiété. Il prévint Dete : Heidi tomberait gravement malade si elle ne retournait pas vivre rapidement dans les montagnes.

Heidi adorait Clara, mais il était temps pour elle de regagner la petite demeure de son grand-père. Elle était certaine qu'elle lui manquait autant que lui, lui manquait.

Tante Dete rassembla les affaires d'Heidi et la ramena chez son grand-père. Dans les montagnes, le vieil homme était en effet très triste de l'absence de sa petite-fille.

Quand Heidi arriva chez son grand-père, elle respira l'air frais, et se sentit mieux aussitôt. Ses joues rosirent, ses yeux se mirent à pétiller, et l'énergie lui revint ! En l'apercevant par la fenêtre, le vieillard n'en crut pas ses yeux. Sa petite Heidi était de retour ! Quelle fantastique journée !

Heidi retrouva rapidement ses marques dans les montagnes qu'elle aimait tant. Et désormais, elle savait lire et écrire. Elle envoya de nombreuses lettres à Clara en lui disant combien elle serait heureuse si elle pouvait lui rendre visite, et rencontrer son grand-père et Peter. Heidi décrivit aussi les belles collines recouvertes de fleurs, les couchers de soleil, les petites chèvres en liberté…

Un jour, le rêve d'Heidi devint réalité ! Mlle Rottenmeier emmena Clara dans les montagnes. Comme la santé d'Heidi s'était rapidement améliorée, elle pensait que cet environnement pourrait aussi aider Clara.

À cause de la venue de son amie, Heidi passait beaucoup moins de temps avec Peter. Celui-ci était aux anges du retour d'Heidi, et se sentait à présent rejeté. Il était terriblement jaloux de Clara !

Un après-midi, alors que les deux fillettes pique-niquaient, Peter s'empara discrètement du fauteuil roulant de Clara et le poussa en bas d'une colline où il se brisa dans un grand fracas.

Après leur repas, Heidi et Clara appelèrent Peter pour qu'il vienne regarder le coucher de soleil avec elles. Comme elle ne trouvait pas le fauteuil roulant de Clara, Heidi interrogea Peter. Il ne répondit pas, mais son visage le trahit. Il rougit jusqu'aux oreilles.

— Qu'as-tu fait, Peter ? demanda Heidi. Clara ne peut pas marcher. Elle a vraiment besoin de son fauteuil roulant.

Peter fut envahi par la culpabilité, et dit la vérité :

— Je l'ai cassé parce que j'étais fâché que tu passes moins de temps avec moi…

Alors que les deux amis s'expliquaient, ils furent interrompus par le rire de Clara.

— Regardez-moi ! cria-t-elle gaiement.

Clara se tenait debout ! L'air frais de la montagne, le lait de chèvre, et la compagnie de ses amis l'avaient rendue plus forte. Avec l'aide d'Heidi et de Peter, Clara fit quelques pas prudents vers le côté de la colline, d'où les trois amis purent voir le beau coucher de soleil.

Ils rentrèrent ensuite à la maison où ils retrouvèrent Mlle Rottenmeier et le grand-père d'Heidi. Ces derniers n'en revenaient pas, Clara marchait !

— Où est le fauteuil roulant de Clara ? demanda Mlle Rottenmeier.

— Je l'ai détruit par jalousie, répondit Peter, honteux. J'en suis vraiment désolé.

— Je te pardonne Peter, intervint Clara. Tu as peut-être brisé mon fauteuil mais tu m'as aussi aidée à réapprendre à marcher.

Sur ces mots, Heidi, Peter et Clara s'étreignirent. Le grand-père d'Heidi déclara que c'était un miracle des Alpes et d'une amitié véritable.

Mlle Rottenmeier et la famille Sesemann leur en furent extrêmement reconnaissantes, et promirent que Peter, Heidi, et son grand-père ne manqueraient plus jamais de rien.